哇！歷史原來是這樣

狐狸家 編著

看病簡史

中華教育

我們病了就會看醫生，可是，你知道嗎，很久很久以前，這個世界上根本沒有醫生，人們生病了就只能祈求老天爺。

後來，人們在大自然中找到了止血的草，鎮咳的花，還有能治拉肚子的果實。再後來，中國人發明了針灸、丹藥、五禽戲、湯劑⋯⋯

越來越多的疾病被治癒，人類也變得越來越長壽。

今天，看病更方便了，小藥丸、預防針、X 光⋯⋯這些先進技術的誕生，讓生病不再可怕。

哇，歷史原來是這樣啊！為了少生病，寶寶記得打預防針喔！

從人類誕生之日起，疼痛和疾病就一直伴隨着每個人。

「哎喲！
牙齒上有好幾個大洞，疼死了！」

「阿嚏！受涼了，老是打噴嚏，這可怎麼辦？」

「好痛啊，屁股流血了！」

「肚子好疼……我應該是吃壞肚子了。」

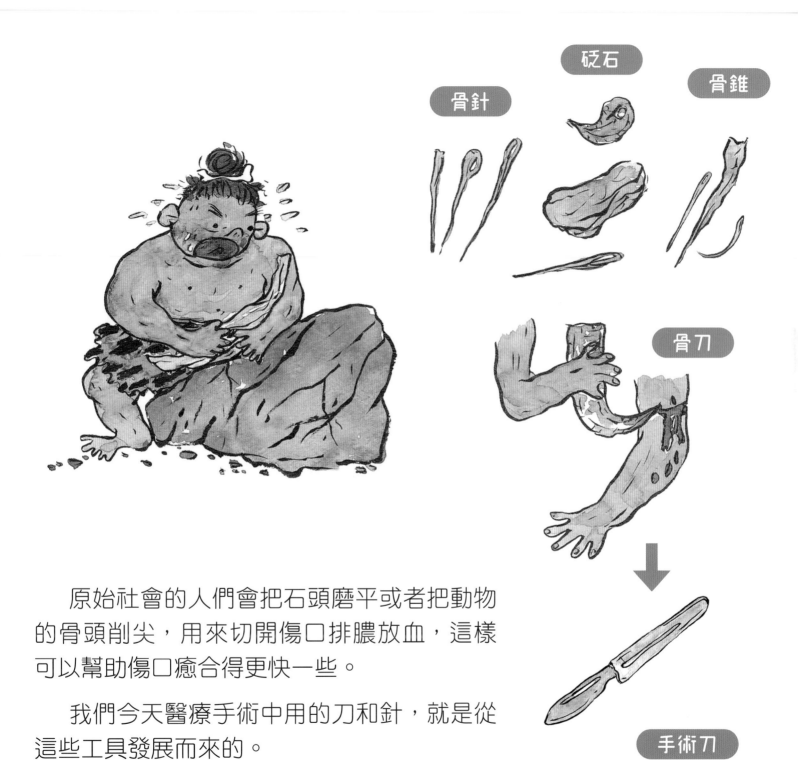

骨針　砭石　骨錐

骨刀

手術刀

　　原始社會的人們會把石頭磨平或者把動物的骨頭削尖，用來切開傷口排膿放血，這樣可以幫助傷口癒合得更快一些。

　　我們今天醫療手術中用的刀和針，就是從這些工具發展而來的。

可要是生病了該怎麼辦呢？

人們開始祈求老天爺，希望神靈能把疾病從身體裏趕走。

叮叮叮，噹噹噹，巫醫誕生了。據說，他們一邊幫病人治病，一邊還會跳起舞和天上的神靈交流呢！

然而，祈求神靈是不管用的。

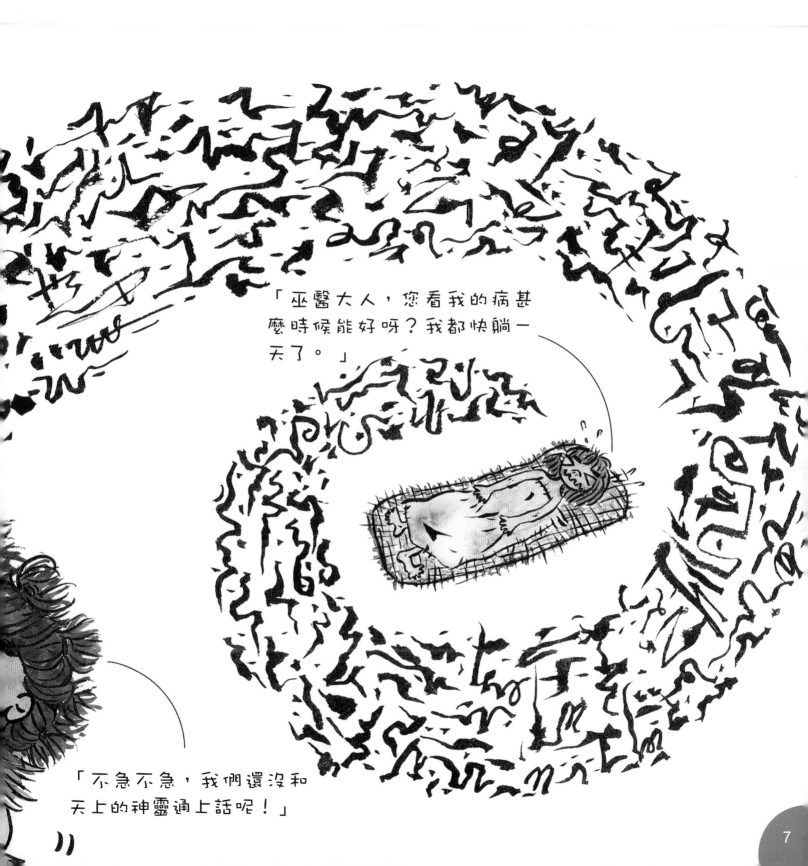

「巫醫大人，您看我的病甚麼時候能好呀？我都快躺一天了。」

「不急不急，我們還沒和天上的神靈通上話呢！」

漸漸地，人們發現大自然中的植物對治療疾病有着
神奇的功效。

傳說，神農氏走遍了百座大山，嚐遍了百種花草，
找到了止血的草、鎮咳的花，還有治拉肚子的果實。

桂樹皮

決明

神農氏找到的這些植物又叫
「草藥」，不同的草藥可以治療
不同的病。

例如，桂樹的皮可以治肚子
疼，三七草可以止血，決明子
可以讓眼睛變得更明亮，五味
子可以治療咳嗽。

三七

五味子

治病的方法不單單只有服用草藥。隨着煉銅技術的發展，先前的骨針變成了金屬針，於是，針灸術誕生啦！

人們發現把細細的針扎在身體上，有的時候會有神奇的效果。

「我都快被扎成刺蝟啦！」

「扎上去，你的病就好了。」

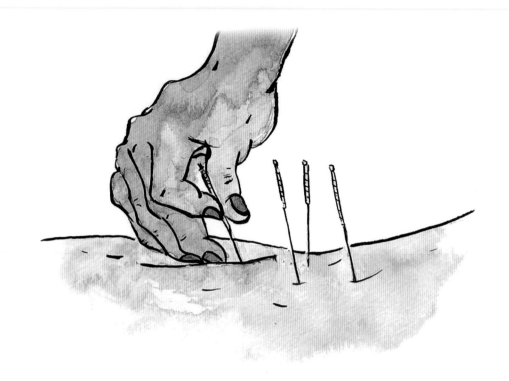

　　針灸用的針是特製的金屬針，通過針刺激人身上的穴位可以調整氣血、疏通經脈。

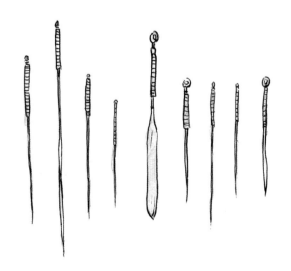

除了發明針灸，人們還發明了煉丹術。煉丹術就是把各種各樣的重金屬和礦物質放到爐子裏煉成丹藥，人們希望用它來強身健體、延年益壽。

然而，丹藥對人體不一定是有益的，有的丹藥甚至是毒藥。

秦朝皇帝嬴政認為吃丹藥能延年益壽，幻想着可以成為長生不老的仙人。他曾命人多次出海求取仙丹，耗費了大量的人力物力卻仍然一無所獲。

「聽說海那邊有仙藥？你們去為朕尋來！」

「大夫，我到底得了甚麼病呀？」

　　古時候專門給人治病的職業叫大夫。誰家有病人，大夫會提着診箱上門看診。

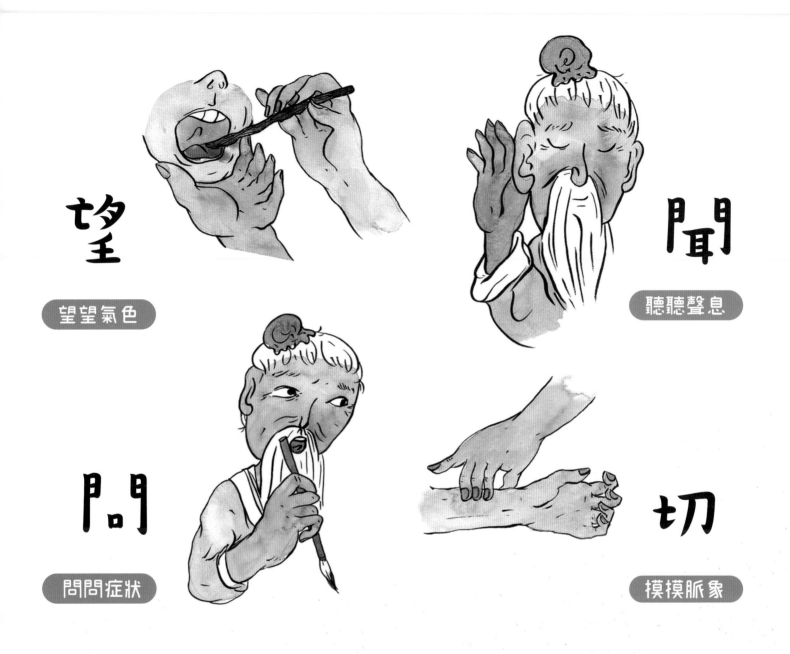

望

望望氣色

聞

聽聽聲息

問

問問症狀

切

摸摸脈象

大夫看診全靠「望、聞、問、切」，簡單來說，就是望望病人氣色，聽聽病人聲息，問問病人症狀，摸摸病人脈象。

「金銀花一兩，桂皮兩錢，當歸一錢⋯⋯」
看診後，大夫會根據病情開藥方子，病人拿着藥
方子去附近的藥店抓藥。

這是一間藥店，藥店裏的藥來自全國各地。人們採集花草，曬乾，
分類，再送進藥店，由藥店製成藥材，再把不同的藥材按品類放進
不同的藥格子裏，等病人來抓藥的時候，他們會按照藥方子把藥材
配在一起，病人回到家把藥材放到罐子裏加水煎煮。

雖然用藥材治病很有效，但是煎出來的藥汁味道太苦了。

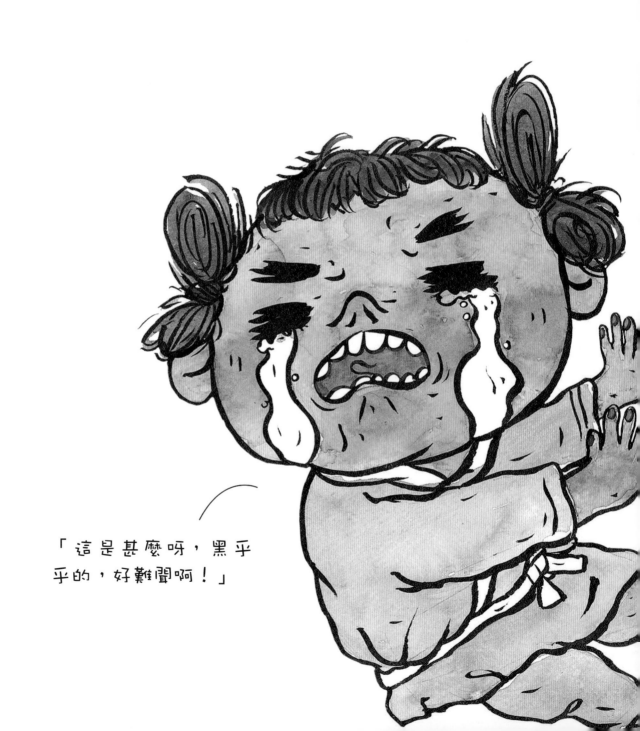

「這是甚麼呀，黑乎乎的，好難聞啊！」

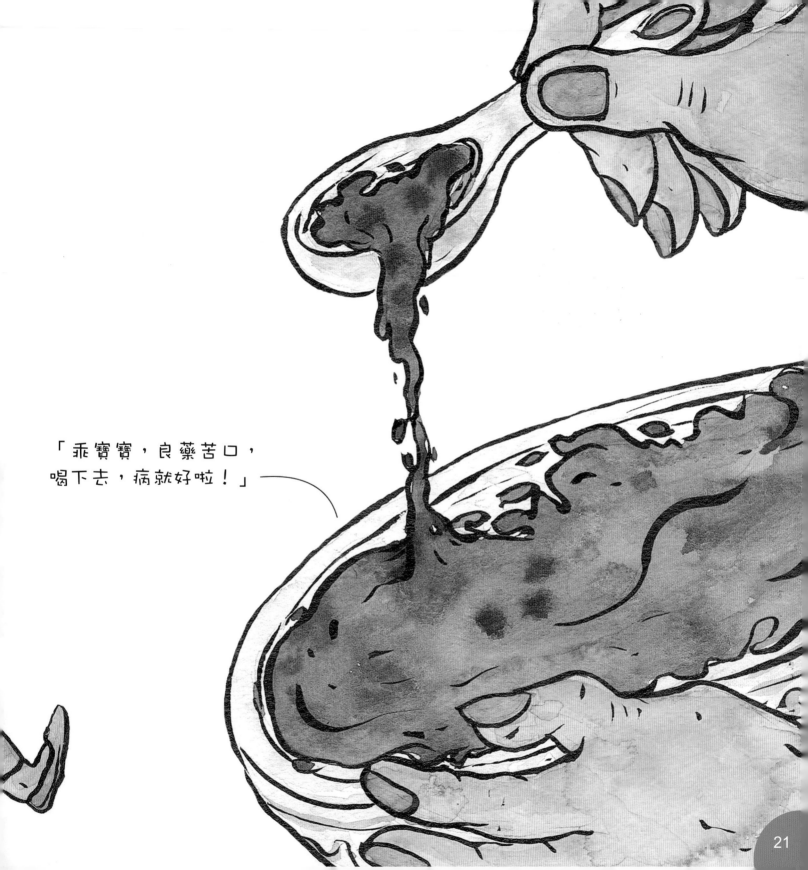

「乖寶寶，良藥苦口，
喝下去，病就好啦！」

與其生病吃藥這麼痛苦，不如平時注意身體、預防疾病吧！

鍛煉可以使身體更加健康，於是人們開始進行各種健身活動，有的活動甚至變成了民俗。

五禽戲

神醫華佗仿照虎、鹿、熊、猿、鳥的動作和神態發明的一種健身運動。

太極拳 結合陰陽學說與中醫經絡學形成的一種緩慢柔和的中國傳統拳術，可以強身健體、修養身心。

走百病

元宵節時，婦女們相約外出，她們認為多走路可以驅病除災。

隨着醫藥學不斷發展，很多大夫會聚在一起研究疾病、製作藥物、治療病人。於是專業的醫學組織誕生了，其中水平最高的就是太醫院啦！

太醫院是專門給皇帝、皇子和嬪妃們看病的機構。在古代，能給皇上看病是一件無上榮耀的事，只有醫術最高明的大夫才有這個機會。

你知道嗎，歷史上的名醫扁鵲、華佗、孫思邈都給皇帝治過病呢！

孫思邈 唐代醫藥學家，著有《千金要方》，被後人尊稱為「藥王」。

華佗 東漢末年著名的醫學家，被後人稱為「外科鼻祖」。

扁鵲 戰國時期醫學家。有豐富的醫療經驗，反對巫術治病。遍遊各地，擅長各科。

到了近代，西方國家的醫學漸漸傳入了中國。

西醫和中醫完全不同，它更多地借助醫療儀器、化學實驗和外科手術來治療疾病。

在今天，我們生病了既可以去看中醫，也可以去看西醫。

給病人治病的地方叫醫院，醫院裏有很多診室，每個醫生都有明確的分工。骨折了去看骨科，牙疼了去看牙科，生寶寶去婦產科，眼睛出了問題去眼科……

看，現在的藥也不像以前那麼苦了，藥的形態也發生了變化。

藥變成了小小的一片，外面包裹着糖衣，有橘子味的、香蕉味的、草莓味的⋯⋯喝口水「咕嘟」一聲就嚥進肚子裏啦！

現在我們也有了更多預防疾病的辦法。為了不生病，請打疫苗吧！

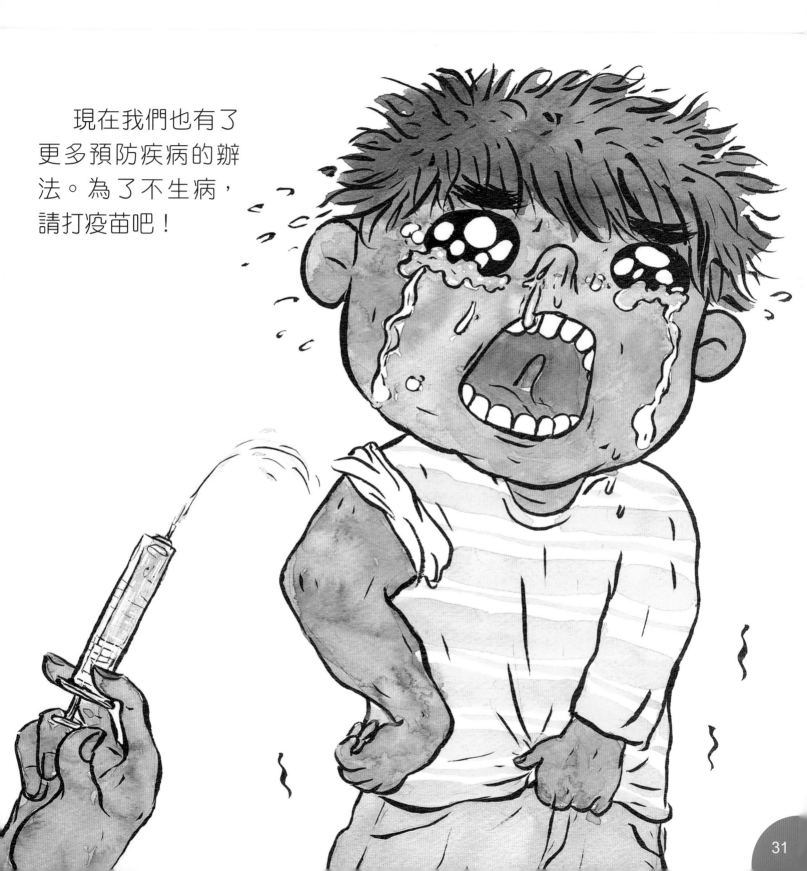

看病簡史

祈求老天爺

神農氏嚐百草

針灸術

神奇的中草藥

草藥治病

煉丹術

中醫的
治療與保健

看診抓藥

孫思邈

華佗

西醫傳入
中國

藥物

扁鵲

歷史上的
名中醫

健身活動

醫療儀器

哇！歷史原來是這樣

看病簡史

狐狸家　編著

責任編輯：鍾昕恩
裝幀設計：鄧佩儀
排版：鄧佩儀
印務：劉漢舉

出版｜中華教育

香港北角英皇道 499 號北角工業大廈 1 樓 B 室
電話：(852) 2137 2338　傳真：(852) 2713 8202
電子郵件：info@chunghwabook.com.hk
網址：http://www.chunghwabook.com.hk

發行｜香港聯合書刊物流有限公司

香港新界荃灣德士古道 220-248 號 荃灣工業中心 16 樓
電話：（852）2150 2100　傳真：（852）2407 3062
電子郵件：info@suplogistics.com.hk

印刷｜美雅印刷製本有限公司

香港觀塘榮業街 6 號海濱工業大廈 4 字樓 A 室

版次｜2021 年 11 月第 1 版第 1 次印刷
©2021 中華教育

規格｜12 開（230mm x 230mm）

ISBN｜978-988-8759-99-6